Emily Sampson

Katherine Scholes

Sams Wal

D1316884

Katherine Scholes wurde 1954 in Tansania geboren. Heute lebt sie in Australien. Sie macht Filme und schreibt – nicht nur, aber vor allem – für Kinder. „The Boy and the Whale" war ihr erstes Kinderbuch und machte sie auf einen Schlag berühmt. Es kam auf die Auswahlliste zum Australischen Kinderbuchpreis, erhielt den Whitley Book Award und wurde, außer ins Deutsche, ins Niederländische, Dänische, Schwedische und Japanische übersetzt.

Quint Buchholz, geboren 1957 in Stolberg bei Aachen, studierte in München zuerst Kunstgeschichte und danach Malerei und Grafik an der Kunstakademie. Seit etwa 15 Jahren illustriert er Bücher für Kinder und Erwachsene, so unter anderem Texte von Italo Calvino, Jostein Gaarder, Elke Heidenreich, Amos Oz und Michael Dorris. Quint Buchholz, für seine Bilder inzwischen mehrfach ausgezeichnet, lebt mit seiner Frau und seinen drei Kindern in der Nähe von München.

Katherine Scholes

Sams Wal

Aus dem Englischen
von Ulli und Herbert Günther

Mit Bildern von Quint Buchholz

Ravensburger Buchverlag

Als Ravensburger Taschenbuch
Band 52039
erschienen 1996

Die Originalausgabe erschien bei
Viking Kestrel, Australien unter dem Titel
„The Boy and the Whale"
© 1985 by Katherine Scholes

Die deutsche Erstausgabe erschien 1990
im Ravensburger Buchverlag
© 1990 by Ravensburger Buchverlag
für die deutsche Textfassung und Illustration

Umschlagillustration: Quint Buchholz

**Zu diesem Buch gibt es
Materialien zur Unterrichtspraxis**

**Alle Rechte dieser Ausgabe
vorbehalten durch
Ravensburger Buchverlag
Otto Maier GmbH**

Printed in Germany

29 30 16 15

ISBN 978-3-473-52039-8

www.ravensburger.de

Für Roger

Vorbemerkung der Autorin

Wenn man von Walen spricht, stellt man sich meistens etwas sehr Großes vor. Der große Pottwal zum Beispiel kann länger als 15 Meter werden und mehr als 36 Tonnen wiegen. Der Große Schwertwal, obwohl viel kleiner, kann immerhin bis zu 8 Meter lang und bis zu 7 Tonnen schwer werden. Vermutlich sind diese beiden Arten die bekanntesten Vertreter der Familie der Wale. Insgesamt aber gibt es ungefähr 40 verschiedene Walgattungen, alle unterschiedlich in Gestalt und Größe.

In dieser Geschichte kommt ein Wal von einer ziemlich seltenen Art vor, der Zwergpottwal. Wie der Name sagt, ist er mit dem großen Pottwal verwandt. Er ist aber viel kleiner und er sieht auch ganz anders aus. Normalerweise wird er ungefähr 3 Meter lang und wiegt bis zu 10 Zentner.

Neben seinem großen Vetter würde er wahrscheinlich winzig wirken – aber für Sam war er ein Riese …

I

Hinter dem Kamm der weißen Düne tauchte ein Junge auf. Es war früh am Morgen, und die aufge-

8   hende Sonne warf kaum sichtbare Schatten über den Sand.

Der Hund des Jungen sprang voraus und schnüffelte

an dem Treibgut, das vom Wasser der letzten Flut angeschwemmt worden war: eine zerbrochene Kiste, Plastikflaschen, eine tote Möwe.

Das Meer lag spiegelglatt und still – als ruhe es sich aus nach der stürmischen Nacht.

Mit jedem Schritt versanken Sams Füße tief im feinkörnigen Sand. Er ging auf dem Kamm der Düne entlang und sah hinunter zu den Klippen und über das Meer.

Plötzlich blieb er stehen und starrte auf einen ganz bestimmten Punkt unten am Strand. Da war ein dunkler Hügel auf dem weißen Sand kurz vor dem Rand des Wassers.

Er blinzelte angestrengt, um das seltsame Etwas genauer erkennen zu können. Ein Haufen Netze ... der Teil einer Schiffsladung ... ein umgekipptes Boot?

Mit einer Hand schirmte er die Augen ab. Als er lange genug hingesehen hatte, erinnerte ihn der dunkle glatte Hügel an etwas. Solche dunklen Hügel hatte er schon einmal gesehen. Es waren die toten Körper von großen Meerestieren gewesen. Sie hatten sich verirrt, waren an seichte Stellen geraten und schließlich auf den Strand gespült worden.

Sam erinnerte sich: Er hatte neben den großen toten Walen gestanden. Er hatte ihre gummiartige, weiß genarbte Haut angefasst. Er hatte sich ein paar Zähne aus den Kiefern der Wale gepult. Er hatte sie poliert und aufbewahrt als seinen Schatz.

～

Sam rutschte die Düne hinunter und lief über den harten Sand des Küstenstreifens. Die Augen hielt er fest auf den Wal gerichtet, um ganz sicher zu sein.

Ein großer ist es nicht, dachte er im Laufen. Vielleicht ein Leitfisch ...

Staunend blieb er neben dem Tier stehen.

Der Schwanz und die kleine Rückenflosse, das sah aus wie bei einem Delfin. Der schräg abgeflachte Kopf sah aus wie bei einem Haifisch. Das Tier lag auf der Seite, dort, wo die Brandung auslief. Seine dunkle Haut schimmerte in der Morgensonne.

Sam stand im seichten Wasser und beugte sich über den Kopf des Tieres. Da sah er das offen stehende Maul.

„Phooooh!", staunte Sam und pfiff anerkennend.

Auf dem rosa Unterkiefer blitzte eine Reihe leuchtend weißer Zähne. Unvorstellbare Zähne – spitz und scharf, nach innen gekrümmt, klein und vollkommen regelmäßig.

Sam starrte sie an, beeindruckt von ihrer Schönheit. Er hatte sich noch gar nicht beruhigt, da wurde die Stille plötzlich und ohne Vorwarnung von einem heiseren Röcheln, wie von einer Explosion, unterbrochen. Es kam aus dem Kopf des Tieres und es hörte sich an wie eine Dampfmaschine, wie ein Schnaufen aus einem Albtraum.

Sam schnellte zurück, er schrie laut auf, und dann stolperte er gegen die Flosse, die sich anfühlte wie Gummi. Unwillkürlich zuckten seine nackten Füße zurück, er drehte sich um und machte einen Satz weg von dem Tier. Hinter ihm hob sich die große

Schwanzflosse. Er konnte es nicht sehen, aber er spürte es. Sein Herz raste vor Angst.

Dann prallte ein schweres Gewicht gegen seinen Rücken und warf ihn mit dem Gesicht nach unten in die Brandung. Sand schürfte seine Wangen, Salzwasser brannte in seiner Kehle.

Auf Händen und Knien kroch er aus dem Wasser. Seine Lunge bebte und seine Gedanken überschlugen sich ...

Er lebt ... er ist LEBENDIG!

Triefend nass ließ sich Sam in einiger Entfernung in den Sand fallen.

Er atmet, dachte er. Es ist wirklich ein Wal.

Er beobachtete das Tier und wartete auf das nächste Öffnen des Atemlochs, das nächste heiser röchelnde Lufteinsaugen.

Eine Welle ergoss sich über den Rücken des Tieres. Millionen silbrige Wassertropfen rannen über die glatte Haut des Wals.

Die dunkle Flosse zuckte in krampfhafter Anstregung durch die Luft – dann lag sie wieder reglos im Sand.

Sam starrte den Wal an und rührte sich nicht vom Fleck. Und auf einmal begriff er, dass das große Tier Angst hatte, dass es seinen schweren Körper vom kratzenden Sand heben, dass es frei sein wollte.

Er musterte die blendend weißen Zähne.

Diese Zähne, stellte Sam sich vor, die würden den Tintenfischen Angst einjagen tief unten im dunklen Meer.

~

Vorsichtig näherte er sich wieder dem Wal und sah in das große ruhige Auge. Es war ein dunkles, geheim-

nisvolles Auge. Das andere, überlegte Sam, war einge-
klemmt, vom eigenen Gewicht des Tieres auf den
Sand gepresst.

Der Wal lag ganz regungslos da, kleine Wasserpfützen
umspülten ihn. Der glatte runde Rücken war schutzlos der Sonne ausgesetzt.

Du bist in Schwierigkeiten, dachte Sam.

Dann erinnerte er sich an die toten Wale, die er im
vergangenen Herbst an der Nordküste gesehen hatte.
Tellergroße Blasen waren auf ihren Rücken zu sehen
gewesen.

Er sah zur Sonne hinauf, die allmählich am Himmel
höher kletterte. Sein Mund war ganz ausgetrocknet.
Auch er verspürte schon Durst.

Mit aneinandergelegten Händen schöpfte er Wasser
und ließ es über den Walkörper tröpfeln. Das Zucken
einer Flosse antwortete auf das kühle Nass.

Die feuchte Haut glänzte in der Sonne. Sie war glatt
und sauber. Keine Spur von Krankheiten oder Verlet-
zungen.

Sam ging um den Körper herum und besah sich den
bleichen Bauch. Auch hier war keine Wunde zu sehen.

Er ging zum Auge zurück und goss vorsichtig Wasser
14   darüber.

„Komm … das wird dir guttun", sagte er beruhigend.
Seine Schulter tat weh und die Arme wurden ihm

schon lahm vom vielen Wasserschöpfen. Und das Wasser verdunstete so schnell.

Er riss eine Handvoll Seetang aus und breitete ihn über den Rücken des Wals. Immerhin wurden so ein paar Stellen der Haut vor der brennenden Sonne geschützt.

Sam machte sich daran, ganze Arme voll grüngoldenem Seetang zu sammeln. Schon bald umgab ihn ein beißender Geruch. Wolken winziger Insekten umschwärmten sein Gesicht.

Das große ruhige Walauge lugte durch den feuchten Seetang, während der Junge den wirren Vorhang aus Grünzeug über das Tier häufte.

Als er endlich fertig war, ließ er sich erschöpft am Rand der Brandung nieder.

2

Fern am Horizont streckte sich ein rötlich grauer Schatten. Vorbei an den kleinen Inseln richtete Sam seinen Blick auf die Küste der großen Hauptinsel Tasmanien.

Kühle Wellen überspülten seine ausgestreckten Beine und liefen auf dem Sand aus.

Nicht lange, und die Flut kommt, dachte er. Dann ist er wieder im Wasser.

Er sah zu der Flutgrenze am Strand, der langen Linie aus Seetang, Muschelbruch und vertrockneten Tintenfischen.

Das wird nicht ausreichen, damit er richtig schwimmen kann, dachte er weiter. Aber es wird ihn wenigstens ein Stück anheben. Wenn jemand helfen würde – vielleicht wäre da was zu machen.

Sam runzelte die Stirn und seine Augen suchten angespannt den einsamen Strand ab.

Keine Menschenseele weit und breit.

Unter seiner Decke aus Seetang schien es dem Wal heiß zu sein. Sein eigentümliches Luftholen – das Öffnen und Schließen des Atemlochs – geschah in immer kürzeren Abständen, hörte sich immer mehr an wie ein hilfloses Keuchen.

Sam kniete sich dicht neben den abgeflachten grauen Kopf. Sorgsam schüttete er Wasser in das dunkle Loch des Walmauls und benetzte die helle Haut um das Auge herum. Das tiefe, traurige Auge.

Sam wünschte sich, bis auf den Grund dieses Auges sehen zu können. Da musste die Seele verborgen sein. Wenn er sie sehen könnte, vielleicht würde es ihm dann gelingen, die Stille und die Hilflosigkeit zu überwinden.

„Hai-Wal", sagte er zu dem Auge. „Ich bin Sam."

Das Auge starrte zu ihm zurück.

Sam streckte die Hand aus und wischte ein paar Sandkörner weg – und plötzlich fuhr er zusammen.

Hinter ihm bewegte sich etwas. Er schnellte herum, wachsam, voll Anspannung und Furcht.

„Lucy!"

Es war nur sein kleiner brauner Hund. Sam lachte erleichtert und pfiff ihn heran.

Doch die unbegründete Furcht hatte seine Hoffnung gedämpft. Er besah sich die scharfen Walzähne und dann spürte er die blauen Flecken, die der Schlag der großen Schwanzflosse gegen seinen Rücken hinterlassen hatte.

Wie soll er wissen, dass ich ihm helfen will, dachte Sam. Es müsste noch jemand da sein ... der helfen kann.

Normalerweise würde sicher jemand von der Farm herüberkommen. Aber heute war Markttag. Außer seiner Schwester Emma war keiner da. Und Emma ist nicht stärker als ich, überlegte Sam. Außerdem muss sie auf das Baby der Dawsons aufpassen.

Hilflos sah er sich um.

Niemand.

Er stellte sich vor, wie der Wal in der Nacht gestrandet war. Wie er immer weiter auf den Strand gespült worden war. Wie einsam und verlassen musste er sich da gefühlt haben.

Irgendwer muss einfach kommen, dachte er. Mit dieser Flut muss er unbedingt freikommen.

Wütend verscheuchte er eine Fliege, die ihm vor dem Ohr herumbrummte.

„Gus!" Plötzlich sprang er auf. „Gus kann helfen!"

Er sah wieder zur Sonne hinauf und versuchte, die Zeit zu bestimmen. Wo mochte Gus jetzt stecken?

Dann erinnerte er sich. Vor einer Woche hatte er die Orchideen, die Gus ihn zu sammeln gebeten hatte, bei ihm in der Hütte nahe der Farm abgeliefert. Gus hatte ihn dafür bezahlt, und dann hatte er davon gesprochen, dass er für ein paar Tage auf die Lafette-Inseln fahren würde, um Vogelnester zu suchen und Fotos davon zu machen.

Aber für wie lange? dachte Sam. War sein Boot gestern wieder an der Anlagestelle zurück gewesen?

„Ja", sagte er laut. „Ich glaube, es war da ... Wie auch immer, es ist deine einzige Chance, Hai-Wal ..."

⁓

Sam beschloss, Lucy nach Hilfe zu schicken. Das war jedenfalls besser, als wenn er den Wal allzu lange allein lassen würde. Er sah, wie die großen Pazifik-Möwen über dem schutzlosen Auge des Wals kreisten.

Er pfiff Lucy und befahl ihr, sich in seiner Nähe hinzusetzen, und dann bespritzte er den Wal wieder mit Wasser. „Ich komme gleich wieder, Hai-Wal", sagte er durch die Seetang-Schicht. „Ich will nur schnell was holen. Und Lucy losschicken. Dann komme ich gleich wieder." Mit seiner nassen Hand berührte er die Stirn des Tieres. „In Ordnung?"

Als das Wasser heruntertröpfelte, bewegte sich der Kiefer mit den weißen Zähnen.

⁓

Sam rief Lucy. „Komm her, altes Mädchen! Los geht's!"

Die beiden jagten am Strand entlang, liefen über eine niedrige, mit Gras bewachsene Düne und erreichten schließlich das Halbdunkel eines kleinen Wäldchens. Sie verlangsamten ihr Tempo und über einen kaum erkennbaren Känguru-Pfad kamen sie zu einer undurchdringlich scheinenden Wand aus Bäumen. Sam schlängelte sich hindurch und dann stand er auf einer kleinen hellen Lichtung, einem versteckten Platz mitten im dichten Wald.

Gegen den Granitfelsen gelehnt, aus Treibholz notdürftig zusammengebunden und -genagelt, stand ein kleiner Unterschlupf, Sams Lager. Wände und Dach bestanden aus Brettern, vom Meerwasser zerfressen und von der Sonne gebleicht.

Hier hatte er seine Schätze aus den Sturmüberbleibseln vieler Jahre gesammelt: verknotete Seile, Bojen, Netze, eine Reihe hölzerner Gestalten – seltsame Treibholzstücke mit eingekerbten Gesichtern, Gerümpel – ein zerbrochener Stuhl, Knochen – der Wirbelknochen eines Wals, so groß wie ein Fußschemel, und eine große weiße Rippe, die bis unter das Dach reichte. Auf einem ehemaligen Sitzbrett eines Bootes lagen Walzähne wie umgestürzte Soldaten, Zähne vom großen Pottwal und auch kleine, nach innen gekrümmte Zähne.

Im Unterstand fand er einen Bleistiftstummel und riss ein dünnes Stück Rinde von der Wand. RUF ANGUS COWLEY AN. ER SOLL DRINGEND UND SOFORT ZU BILLHOOKS KÜSTE KOMMEN schrieb er.

Dann sah er sich nach einem Zeichen um, an dem Emma erkennen könnte, dass die Nachricht von ihm kam. Weil ihm nichts anderes einfiel, riss er schließlich einen Stoffstreifen aus seinem Hemd. Darin wickelte er das Rindenstück ein und band es Lucy um den Hals.

～

Auf dem Rückweg durch den Wald schleppte Sam vier Pfähle, ein Stück Schnur und ein altes Segeltuch. An einer offenen, dem Meer abgewandten Stelle blieb er stehen.

„Geh nach Hause, Lucy!", befahl er und zeigte auf den Hügel hinauf.

Ohne besonderes Interesse drehte Lucy ihren Kopf zur Seite.

„Los, geh! Nach Hause!"

Der Hund sah ihn mit bettelndem Blick an und wedelte mit dem Schwanz. Vielleicht hielt er es für ein Spiel.

„Lucy!", rief Sam und bemühte sich um eine ärgerliche Stimme. „Geh nach Hause! *Sofort!*"

Lucy zog ab in Richtung Farm. Noch einmal warf sie einen vorwurfsvollen Blick zurück.

„Gutes Mädchen! So ist's brav!", rief Sam aufmunternd. Lucy war schon halb den Hügel hinauf, da blieb sie stehen, in Erwartung, doch noch zurückgepfiffen zu werden.

„*Nach Hause!*" Das war ein unumstößlicher Befehl.

Endlich überzeugt, machte sich der Hund auf den Weg.

3

Am Strand lag der Wal noch immer reglos und über ihm kreischten Möwen. Kleine blaue Wellen mit weißen Schaumkronen umspülten ihn. Die Flut hatte begonnen.

Der Sand brannte heiß unter Sams Füßen. Das Segel-

tuch und die Schnur trug er über der Schulter. Beides schleifte hinter ihm her und machte ein leises, surrendes Geräusch.

„Keine Angst, Hai-Wal", sagte er beim Näherkommen. „Ich bin's nur, Sam."

Er ging nahe an das Tier heran und blieb stehen. Der kühle, feuchte Sand war eine Wohltat für seine Füße. 25
Prüfend ließ er seine Blicke über den Wal gleiten: Kopf und Schwanz lagen jetzt im Wasser, aber der

Seetang auf dem Rücken und der freien Seite war ausgetrocknet.

Sam ließ seine Last fallen, die verwickelte Schnur, das Segeltuch und die Pfähle.

„Blöde Möwen!", murmelte er, schöpfte Wasser über Hals und Kopf des Wals und wusch ein paar weiße Kleckse ab.

Er kniff seine Augen zusammen, geblendet vom grellen Glitzern der Sonne auf dem Wasserspiegel. „Junge, Junge, ist das heiß!"

Sam beugte sich über das zusammengerollte Segeltuch und zog die vier Pfähle heraus. Einen nach dem anderen steckte er in den Sand, sodass sie ein Viereck um den Wal bildeten. Darüber spannte er das Segeltuch. Er bewegte sich langsam dabei und sprach leise und beruhigend auf den Wal ein.

„Nur keine Angst … ich mache das hier nur fest …"

Während er das Segeltuch von Pfahl zu Pfahl spannte, verfolgte das dunkle Auge jede seiner Bewegungen.

„So, und an den Ecken einen Knoten … hier, siehst du … mit der Schnur …"

Als er fertig war, trat er zurück und betrachtete sein Werk. Das Segeltuch war fest angebunden, die Pfähle steckten aufrecht im Sand.

Ein dunkler Schatten fiel über den größten Teil des Wals. Den Seetang häufte Sam jetzt auf die Stellen, die der Sonne schutzlos ausgeliefert waren. Dann schöpfte er wieder mit den Händen Wasser über den Wal. Dabei hob sich die Rückenflosse langsam und einmal zuckte sie gegen seine kühlen, feuchten Hände.

Am Kopfende, ein Stück von den spitzen Zähnen entfernt, setzte sich Sam in den Schatten des Baldachins. „Erst mal hilft das vielleicht", sagte er zu dem Auge. „Mehr kann ich im Moment nicht tun. Lucy ist nach Hause gerannt zu Emma … Emma soll Gus anrufen. Gus weiß, was man machen kann."

Bitte, bitte, sei bloß zu Hause, Gus, flehte Sam in Gedanken und ließ seinen Blick über die menschenleere Küste streifen. Und Lucy, Lucy, kümmere dich ja nicht um Kängurus auf dem Weg …

Ein kurzes Keuchen kam vom Atemloch des Wals, dann war alles wieder still. Nur das Geplätscher der Wellen war zu hören.

Mutig geworden kroch Sam schließlich ein Stück näher an den Wal heran, bis er ihn berührte. Rücken an Rücken, dachte er lächelnd.

Er war darauf gefasst, dass der Wal jetzt irgendeine wütende Bewegung machen würde, aber das Tier lag ganz still. Sam entspannte sich, streckte seine Beine aus und lehnte sich weiter zurück. Glatt und straff spürte er die Haut des Wals durch sein dünnes Hemd. Plötzlich pochte etwas gegen Sams Rücken und er

erschrak. Mit weit aufgerissenen Augen verharrte er
reglos, sein Puls ging schneller und da spürte er es
wieder. Tief aus dem Inneren des großen Körpers
drangen regelmäßig die Herzschläge des Riesen.

Mein Wal, dachte er. Mein Wal. Mein Wal.

Ich werde dir helfen, dachte der Junge. Dass du zu-
rückkommst ins Meer. Dass du die anderen Wale wie-
derfindest. Dass du wieder zwischen den versunkenen
Schiffen umherschwimmen kannst, da unten, wo die
riesigen Kraken sind. Mein Wal.

28 Sam richtete seinen Blick landeinwärts an dem kleinen Wald hinter dem Strand vorbei in das Grasland
hinaus.

Nichts rührte sich dort außer der vor Hitze flimmernden Luft.

Er schluckte. Seine Kehle war trocken. Ich hätte Gus darum bitten sollen, dass er Wasser mitbringt.

„Ein Bissen zu essen wäre auch nicht schlecht", sagte er laut zum Wal. Er betrachtete dessen Zähne. „Ich wette, du hast auch Hunger ..."

Sam lehnte sich wieder leicht gegen den Wal und ließ seine Blicke ziellos über das Meer schweifen.

Auf einmal straffte sich sein Körper, er runzelte die Stirn und starrte angestrengt über die Wasserfläche.

Erleichterung breitete sich auf seinem Gesicht aus. Um die Landzunge herum sah er ein Fischerboot näher kommen.

Er sprang auf, gleich würde er um Hilfe rufen, bestimmt waren drei oder vier Männer an Bord.

Drei oder vier Fischer, dachte Sam, und ein neuer Gedanke ließ ihn zögern.

Er strengte seine Augen bis zum Äußersten an, um das Boot ganz genau erkennen zu können. Die Farbe, die Größe, die Krabbenkörbe, die kleine gelbe Flagge.

„Oh nein", flüsterte er. „Nicht die ..."

Es waren die Higgs-Brüder: Erzähler von ungeheuerlichen Seemannsgeschichten, fanatische Trophäensammler und Angeber.

Sam kannte sie. Er hatte ihre Sammlung gesehen und

er hatte die Brüder um ihr Glanzstück beneidet, einen vollständigen Kiefer vom großen Pottwal, den sie in ihrer Küche über dem Herd hängen hatten.

Er hatte auch schon mit ihnen getauscht. Eine ganze Menge Zähne von gewöhnlichen Delfinen hatte er geben müssen für einen Zahn vom Großen Schwertwal.

Sam konnte sich ausmalen, was passieren würde, wenn sie die tadellosen, scharfen, nach innen gebogenen Zähne dieses seltenen Wals zu Gesicht bekämen.

Hastig band er die Schnüre von seinem Baldachin, dann riss er die Pfähle aus dem Sand und breitete das Segeltuch über die vordere Hälfte des Wals. Dabei geriet auch die Rückenflosse unter den Stoff.

Sofort begann der Wal wütend mit der Schwanzflosse in das seichte Wasser zu schlagen.

Sam sprang zur Seite und wischte sich die Tropfen aus dem Gesicht. Pitschnass war er geworden.

„Lieg bloß still!", sagte er in einem drohenden Ton.

Der Riese hielt sich nicht daran.

Als Sam nicht mehr wusste, was er tun sollte, zog er schließlich das Segeltuch ein Stück zurück, sodass auch die Rückenflosse wieder frei war. Auf der Stelle beruhigte sich der Wal.

Sam seufzte vor Erleichterung. Dann legte er sich hinter den Wal und beobachtete das Boot. Es hatte in der Nähe der felsigen Landzunge angehalten. Er konnte erkennen, wie der dicke Bill Higgs einen Krabbenkorb aus dem Wasser zog.

Wenn sie in unsere Richtung weiterfahren, dachte Sam, werden sie wissen wollen, was das für ein Hügel am Strand ist. Dagegen kann ich nichts tun.

„So ein riesengroßes schwarzes Ungetüm wie dich kann ich nicht verstecken", sagte er durch das Segeltuch zu dem Walauge.

Dann sah er auf. Bill Higgs war jetzt mit den Körben fertig und hantierte am Motor herum. Da streckte Digger seinen Arm aus und zeigte zu ihnen herüber.

„Nein!", hauchte Sam.

Beide Männer hatten nun den Wal in ihrem Blickfeld. Sam drückte sich tiefer in den Sand und fühlte sich plötzlich sehr verlassen.

Er streichelte mit den Fingerkuppen ein Stück der schwarzen gummiartigen Haut neben dem Segeltuch. „Wo Gus bloß bleibt?"

4

Als Sam das Motorengeräusch hörte, hielt er den Atem an und sah nicht mehr hin. Er wartete, ob das Brummen näher kam oder ob es sich entfernte.

Es kam näher. Digger, den Schreihals, konnte er schon deutlich verstehen.

„Da drüben, Bill, da drüben!"

Bills Antwort ging im Motorenlärm unter, aber Diggers Stimme konnte er wieder verstehen. „Sieht aus wie einer meiner liebsten Kumpel!"

Das Boot nahm Kurs auf den Strand.

Sam kauerte reglos hinter dem Wal, wartete hilflos ab und spürte die dumpfe Angst. Er war so allein.

„Gus, bitte komm, Gus", flüsterte er dem Wal zu. „Ich weiß nicht, was ich machen soll ..."

Er hörte das Platschen des Ankers auf dem Wasser, hörte die Ankerkette klirren.

Der Motorenlärm verstummte. Ein Ruderboot wurde aufs Wasser gesetzt. In der Stille war zu hören, wie die Männer hineinsprangen, dann, wie die Ruderblätter ins Wasser eintauchten.

Eine Möwe kreischte laut.

Dann platschte es im Wasser, dann noch mal und

dann hörte er das Geräusch von schwer stampfenden Schritten.

„Hab ich's doch gesagt", ertönte Bills Stimme. „Ein toter Wal. Steckt mit dem Kopf unter einer Plane."

„Solange der Kopf noch dran ist, Kumpel!", rief Digger. „Das lass mich erledigen!"

Plötzlich waren sie ganz nah.

Sam richtete sich auf und sah sie an, ohne ein Wort zu sagen.

Wie ein Denkmal eines altertümlichen Kriegers mit seinem gestürzten Pferd, so stand er erhobenen Hauptes hinter seinem Wal.

„Das ist mein Wal!" Er sah den beiden Männern mit kaltem Blick in die Augen. „Und er lebt!"

Dieser Blick schien sie abzuwehren. Der dicke Bill und der hagere, wettergegerbte Digger blieben stehen. Bill trug eine lange Arbeitshose, die in der Taille von einem zerschlissenen Riemen gehalten wurde. Die Hosenbeine hatte er bis zu den rundlichen Knien aufgerollt. Die zerrissenen Ärmel seines karierten Hemdes hingen herunter und schützten seine Arme notdürftig vor der Sonne. Um den geröteten Stiernacken hatte er ein Halstuch gebunden, das die Sonne zu einem hellblauen Stoffetzen gebleicht hatte.

Digger stand neben ihm. In seinem roten Unterhemd setzte er sich unerschrocken der Mittagssonne aus.

Seine ausgefranste kurze Hose war mit Fischblut bespritzt.

Auf ihren Gesichtern, besonders auf Diggers Gesicht, war die Überraschung deutlich zu lesen. Seine großen blauen Augen standen in einem seltsamen Kontrast zu seiner sonnenbraunen Haut. Bill blinzelte aus wässrigen Augen. Der größte Teil seines rötlichen Gesichts war von seinem Vollbart und seinen struppigen Haaren überwuchert.

Es war, als ob der Blick des Jungen die beiden Männer auf der Stelle festgenagelt hätte.

~

Es herrschte Stille. Nur das Schreien der Möwen war zu hören und das Plätschern der Wellen um den Körper des Wals.

Die Sonne funkelte auf einer großen Stahlklinge – Diggers Buschmesser, das an seinem Gürtel hing und hin und her schaukelte, als köpfte es die Wellen.

Sams Blicke hetzten von einem Gesicht zum anderen, von der funkelnden Klinge zu den Gesichtern und wieder zurück.

Seine Gedanken drehten sich im Kreis, alles in ihm begann sich zu drehen, und an seinen nackten Schienbeinen lag reglos der Wal.

Nachlässig, nur durch eine Ecke seines Bartes, fing

Bill an zu sprechen. „He, Sammy, alter Junge … Was hast 'n du da versteckt?"

„Lass uns mal sehen", drängte Digger.

„Nein!", rief Sam laut. Das erschreckte den Wal. Unter dem Segeltuch war ein gedämpftes Röcheln zu hören. „Ich passe auf ihn auf. Wegen der Sonne habe ich das Tuch drübergemacht … und den Seetang … auch wegen der Sonne."

Er kniete sich in den Sand und schaufelte hastig mit beiden Händen Wasser auf die Seetangschicht auf dem Wal.

„Es ist viel zu heiß", redete er weiter. Seine Stimme überschlug sich vor Aufregung. „Deshalb muss ich ihn auch immer wieder nass machen … (bitte Gus, komm doch endlich!) und deshalb habe ich ihn auch zugedeckt …"

„Langsam, langsam, alter Junge", sagte Bill gedehnt. „Wir wollen ihm doch gar nichts tun."

Er sah, wie der Junge Diggers baumelndes Buschmesser anstarrte und wie er seine Lippen einsog, sodass sein Mund nur noch wie eine dünne Linie im Gesicht aussah.

„Wir dachten, er ist tot", fuhr Bill fort. „Ist schließlich

nichts dagegen zu sagen, wenn man von einem toten Wal die Zähne mitnimmt, oder? Weißt du doch selber, alter Junge, nicht wahr?" Bill lächelte.

„Aber hier ist es etwas ganz anderes!" Sam sprang auf, um überzeugender auf sie zu wirken. „Er lebt. Er bewegt seine Flossen, wenn man Wasser über ihn gießt, das mag er nämlich. Er holt Luft durch sein Atemloch, es geht auf und zu …" Die Wörter gerieten ihm durcheinander. „Er ist stark. Mit seinem Schwanz hat er mich umgehauen. Er ist …"

Auf den Gesichtern der Brüder spiegelte sich Zweifel an dem, was er sagte, und unausgesprochener Spott. Sams Stimme wurde leiser. Er machte einen Schritt zurück und stand starr.

„Er wird auch nicht sterben."

Bill nahm das Buschmesser an sich.

Digger beugte sich über den Wal und ergriff einen Zipfel des Segeltuchs. Mit einer weit ausholenden Bewegung seines braun gebrannten Arms zog er das Tuch weg und dabei zerstörte er auch die Schutzschicht aus Seetang.

„Donnerwetter!", sagte Bill, als er den Wal schutzlos vor sich sah.

Digger schleuderte das Segeltuch hinter sich.

Sam ging nahe an den Wal heran und stieß mit dem Knie gegen den herabhängenden Unterkiefer. Eine Hand legte er auf die glatte Wange des Tieres. „Mach dein Maul zu!", zischte er heftig in Richtung Auge.

Digger sah ihn über den Kopf des Wals hinweg an.

„Weiß nicht, was du willst", sagte er. „Kannst doch nicht den ganzen Tag hier so rumhängen. Willst uns doch bestimmt nicht daran hindern, festzustellen …" Förmlich und bedeutungsvoll sprach er weiter. „… mit was für einer besonderen Art Wal wir es hier zu tun haben."

Mit diesen Worten kam er zu Sam herum, und vorsichtig schob er den Kopf des Wals ein Stück zurück. Bei der Berührung zuckte das Tier zusammen.

„Guck dir das an! Solche Haudegen!"

Sam sah, wie sich die Reihe der weißen Zähne in Diggers Augen spiegelte: helle Flecken in funkelndem Blau.

Digger pfiff durch seine tabakgelben Zähne. Bill stellte sich neben ihn.

„Du siehst doch, er will nicht mehr leben", sagte Digger beiläufig. „Wäre freundlicher, ihn von seinen Leiden zu erlösen."

„Das ist nicht wahr!", rief Sam aufgeregt.

„Du musst es vom Standpunkt des Wals aus sehen", versuchte es Digger weiter. „Der liegt hier und kocht in der Sonne. Wie soll er jemals wieder ins Meer zurückkommen? Am Ende wird er doch sterben. Du mühst dich ab für die falsche Sache. Es wäre viel besser, wenn …"

„Nein", sagte der Junge mit schwacher Stimme und starrte voll Angst auf die funkelnde Klinge.

Einen Moment lang sagte keiner ein Wort.

Bill wischte sich den Schweiß von der Stirn und trat von einem Fuß auf den anderen. Plötzlich stieß er einen lauten Fluch aus, bückte sich und buddelte im Sand vor seinen Füßen. Er förderte ein scharfkantiges weißes Muschelstück zutage, dann griff er nach seinem Fuß, um sich die Schnittwunde zu besehen. Wässriges, rosa Blut lief über seine große Zehe.

Sam verscheuchte eine Fliege vom Auge des Wals, das müde aussah.

„Ich weiß, was wir machen", sagte er mit plötzlich neuem Mut. „Angus Cowley kommt. Wartet, was er sagt. Er weiß, was man tun muss, er weiß Bescheid über Wale."

Die beiden Männer sahen ihn an.

Bill hielt das Buschmesser ein wenig unsicher in den Händen. Er schien verlegen und schließlich sah er hinüber in Richtung Dünen.

„Dieser Naturwissenschaftler?", fragte er. „Was heißt das, ‚er kommt'? Wann kommt er?"

„Jetzt gleich", antwortete Sam schnell. „Jede Minute. Ist schon zu spät dran. Er kommt, um sich den Wal anzusehen. Um zu sehen, was für eine Art Wal es ist." Er benutzte Diggers Worte. „Er ist nämlich eine ganz besondere Art von Hai-Wal", erklärte er stolz.

„Könnte sein, der Junge hat Recht, Bill", sagte Digger. „Guck dir nur mal diese Zähne an …"

Bill humpelte näher. „Habe noch nie Zähne gesehen wie diese hier."

Bills Bewunderung der erstaunlich gebogenen Zähne wurde jäh unterbrochen.

„HEEEEE-EY!" Ein lauter Schrei gellte dicht vor seinem Ohr. Sam brüllte, was seine Lunge hergab. Er sprang auf, spritzte weit um sich und schwang seine Arme hoch in die Luft.

40   Hinter ihm schlug eine schwarze Flosse Wellen im flachen Wasser als Protest gegen so viel Theater.

„SIE KOMMEN! SIE KOMMEN!"

5

Der Hund sah aus wie ein dunkler Schatten gegen den
hellen Himmel. Er stand oben auf der Düne, den Kopf
gereckt, und schnupperte im Wind.

„Was hab ich euch gesagt!", jubelte Sam und drehte
sich nach den Männern um.

Digger zog eine Augenbraue hoch. „Weiß nicht, was
du meinst. Alles, was ich sehen kann, ist ein Hund."

„Das ist Lucy", lachte Sam. „Sie bringt Angus her."

Digger warf ihm einen spöttischen Blick zu.

Sam pfiff durch die Finger, der Hund blickte auf,

wedelte mit dem Schwanz und setzte sich in ihre Richtung in Bewegung.

Die Augen weiter auf den Kamm der Düne gerichtet, wartete Sam darauf, dass Angus erscheinen würde.

„Kann deinen Mann nicht sehen", knurrte Digger, der in die gleiche Richtung sah.

„Er kommt gleich", sagte Sam. „Lucy rennt immer vorweg." Sein Gesicht verfinsterte sich und er kaute angespannt auf seinen Lippen.

Kopfschüttelnd ging Digger zu Bill, der im Sand saß und sich seine blutende Zehe besah.

„Glaube, da ist ein Stück von 'ner Muschel oder was Ähnliches drin", stöhnte Bill.

„Ach, stell dich nicht so an", sagte Digger und beugte sich zu seinem Bruder hinunter. „Hör zu." Er sprach mit gedämpfter Stimme. „Der Junge träumt sich was zurecht ... Kein Mensch kommt ... Pass auf ... nun hör doch auf damit!" Ungeduldig deutete Digger auf Bills Zehe. „Ich will, dass du den Jungen mit rausnimmst aufs Boot."

Überrascht sah Bill auf.

„Biete ihm einfach was zu trinken an. Oder noch ein Stück Segeltuch für den Wal ... oder irgendwas ... ist mir egal."

„Warum denn?", fragte Bill. „Ich dachte …"

„Ich werde hierbleiben", unterbrach ihn Digger mit einem grimmigen Lächeln.

„Willst du … du willst ihn erledigen?", fragte Bill leise. Er sah hinüber zu Sam, der immer noch auf demselben Fleck stand und zur Düne hinüberstarrte. „Das ist die Sache nicht wert, Digger. Der Kleine setzt Himmel und Hölle in Bewegung, wenn …"

„Pass auf. Es wird genauso sein, wie ich ihm das gesagt habe: Wale auf Stränden sterben. Das hat er doch selber schon gesehen."

Diggers Augen verwandelten sich zu kalt funkelnden Schlitzen, als er sagte: „Ich will diesen Kiefer für meine Sammlung – und …" Er hielt plötzlich inne und richtete sich auf. Sam kam auf sie zu.

„Na, alter Junge?", sagte Digger.

Voller Verzweiflung suchte Sam mit den Augen den Strand ab, die Dünen, und dann sah er auf Lucy, die stehen geblieben war, um den Seetang zu beschnuppern. Der Fetzen von seinem Hemd, in den er die Nachricht gewickelt hatte, war nicht mehr zu sehen.

Digger spuckte in den Sand. „Sieht ganz so aus, als würden wir unter uns bleiben, oder?"

Darauf wusste Sam nichts zu antworten. Er sah vor sich hin und ihm war jämmerlich zumute. „Was ist passiert, Lucy?"

Digger schlenderte zum Wal hinüber und versetzte ihm ganz grundlos einen Stoß mit dem Fuß. In jäher Furcht zuckte der Schwanz und peitschte das Wasser, das hoch aufspritzte.

Sam schoss herum, die Hände zu Fäusten gepresst, dass die Knöchel weiß wurden. Dunkelrot vor Wut war sein Gesicht.

„He", war da auf einmal Bills Stimme zu hören. „Wer ist denn das?"

6

Hinter ihnen am Strand kam Angus die Düne mehr heruntergerutscht als -gelaufen. Als er Sams Schrei hörte, sah er auf, winkte und beschleunigte sein Tempo. Die Wasserflasche, das Fahrtenmesser und der alte Armeerucksack schleuderten gegeneinander, als er über den Strand gelaufen kam.

Er steuerte auf die Dreiergruppe um den Wal zu und grüßte die Männer mit einem kurzen Kopfnicken.

„Tag. Was haben wir denn da?" Er ließ seinen Rucksack fallen und drehte sich dem Wal zu, um ihn genauer zu betrachten. „Lebt noch", sagte er nach einer Pause.

„Ja", sagte Sam laut und sah zu den Fischern.

Bill drehte sich weg und Digger stocherte mit einem Streichholz zwischen seinen Zähnen.

Angus zog Schuhe und Socken aus und watete ins Wasser zur Bauchseite des Wals. Wie ein Arzt untersuchte er das Tier, betrachtete es überall und ließ seine Finger vorsichtig über Schwanz- und Rückenflossen gleiten.

46

Die drei anderen standen um ihn herum und beobachteten ihn gespannt.

Dann sah Angus auf und fragte Sam: „Er liegt wohl schon eine ganze Weile hier?"

„Ich habe ihn heute Morgen hier gefunden, ziemlich früh", erklärte Sam. „Denke, dass er letzte Nacht vom Sturm angeschwemmt worden ist. Aber ich habe ihn die ganze Zeit über mit Wasser begossen und Seetang ... und ein Dach habe ich über ihn gemacht ..." Er unterbrach sich, als der Wal rasselnd Luft holte. „Geht es ihm gut? Was meinst du?"

Angus erhob sich langsam.

„Ich denke schon ... sieht jedenfalls so aus", sagte er endlich. „Zum Glück wird die Flut gleich kommen. Zu viert müssten wir wohl in der Lage sein, ihn wieder ins Wasser zu bringen. Ungefähr in einer Stunde müsste es gehen."

Bill und Digger wechselten Blicke, als wäre ihnen unbehaglich.

Angus war allgemein bekannt als ein Experte für Pflanzen, Tiere, für das Wetter und für alles, was mit dem Meer zusammenhing. Aber in den Augen der meisten Einheimischen war er eine seltsame Figur, ein Sonderling, ein Fremder.

Bill versteckte das Buschmesser hinter seinem Rücken.

47

Digger sprach für ihn mit. „Wir denken nicht, dass er's überlebt."

„Das ist schwer zu sagen", antwortete Angus. „Auf jeden Fall müssen wir es versuchen."

„Aber wer sagt denn …" Diggers Protest wurde von Bill unterbrochen, der auf das Meer hinauszeigte.

„Digger! Der Kahn treibt ab!"

Digger schnellte herum. Seine Augen schätzten die Entfernung bis zu ihrem Fischkutter.

„Mist!", fluchte er wütend. „Der verdammte Anker hat sich losgemacht …"

„Wir können hier nicht länger rumstehen, Digger",

drängte Bill. „Der Anker hält eben nicht in diesem Sand."

„Das sehe ich selber!", schnappte Digger und biss vor Wut die Zähne fest aufeinander.

Noch einmal warf er einen Blick über die Schulter zum Wal zurück.

Sam wusste nicht genau, ob er sich über ihr Verschwinden freuen oder doch lieber auf ihr Bleiben hoffen sollte. Auch Angus sah nachdenklich aus und schien zu überlegen, ob sie es schaffen könnten, den Wal allein vom Fleck zu bewegen.

„Wir müssen leider", sagte Bill und sah an Angus vorbei. „Reiß dich los, Digger."

Digger warf einen finsteren Blick auf ihren Fischkutter. Dann folgte er Bill.

Die beiden Männer wateten zu ihrem Boot und entfernten sich mit kräftigen Ruderschlägen.

„Morgen bin ich wieder hier", raunte Digger Bill zu. „Und ich wette, dann liegt das Vieh immer noch da."

7

Sam sah den Männern lange nach.

„Glaubst du, dass wir ihn allein bewegen können?"

Angus zog die Schultern hoch und sah über den Berg von Wal. „Wir werden mächtig zu kämpfen haben", sagte er. „Aber wir haben eine Chance. Erst mal müssen wir abwarten, bis die Flut ganz da ist, dann versuchen wir, ihn ins tiefere Wasser zu rollen."

Überrascht sah Sam auf.

„Heben können wir ihn nie und nimmer", erklärte Angus. „Einmal habe ich vier Männern geholfen, einen gestrandeten Wal zu heben, der nur halb so groß war wie dieser, und das war schon ein schweres Stück Arbeit. Sie sind so schwer und glitschig, und an Land sind sie so unbeholfen, als wären sie tot. Den Wal hier hätten wir auch mit den beiden anderen nicht hochheben können."

„Für einen Wal ist er doch aber klein", sagte Sam. „Halb Wal, halb Hai – ein Hai-Wal."

Angus lächelte. Erst verzog er nur einen Winkel seines Mundes, dann breiteten sich Lachfalten über das ganze Gesicht und kräuselten sich um seine Augen.

„Auf jeden Fall gehört er zu einer sehr seltenen Art",

sagte er. „Ein Zwergpottwal. Kommt nicht sehr häufig vor in dieser Gegend – ein Tiefseewal, aber diese Wale suchen ihre Nahrung in der Nähe von Küsten."

Angus drehte den Verschluss von seiner Wasserflasche auf und reichte sie Sam. „Hier, trink erst mal. Und dann decken wir ihn wieder zu."

Sam trank hastig mit lautem Glucksen.

„Na, na, ersäuf dich nicht , mein Lieber!", rief Angus, der bereits nach neuem Seetang suchte. „Lass noch was für später übrig."

Angus richtete die vier Pfähle wieder auf und trieb sie tief in den Sand, damit sie dem Aufprall der Wellen standhalten würden.

Sam half ihm dabei, und zusammen ging ihnen die Arbeit schnell von der Hand.

Schon bald lag der Wal, verziert mit grüngoldenen Girlanden aus Seetang, wieder im Schatten des derben Segeltuchs.

Kleine Wellen brachen sich am Körper des Wals, als die Flut allmählich stärker wurde.

„Wir müssen auf das Atemloch aufpassen", sagte Angus. „Wenn es mit Wasser bedeckt ist, kann er nicht mehr atmen und ertrinkt. Am besten, wir versuchen, ihn von der Seite auf den Bauch zu drehen."

Sam kniete sich hin und tastete lange im Wasser an der Stelle, an der der glatte Körper des Tieres auf dem Sand lag.

„Wenn wir hier unter ihm den Sand wegbuddeln würden", sagte Sam über die Schulter zu Angus, „und ein Loch machen – ich glaube, dann müssten die Wellen ihn doch anheben, wenn wir nachhelfen natürlich."

„Mensch, ja", sagte Angus nachdenklich. „Einen Versuch ist das auf jeden Fall wert."

Er kam zu Sam herüber und mit den Händen gruben sie den nassen Sand unter dem Wal weg. Sie schleuderten den Sand hinter sich wie Hunde beim Löcherbuddeln. An der ganzen Länge des Tieres arbeiteten sie sich entlang. Zum Teil wurde der Sand wieder angespült und sie baggerten ihn von Neuem zur Seite. Höhere Wellen kamen. Angus sah auf. „Du buddelst weiter! Ich schiebe ihn an!", rief er. „Pass auf, jetzt kommt eine große Welle!"

Sam schaufelte einen ganzen Arm voll Sand unter dem Bauch des Wals hervor, als die Woge hereinbrach.

Angus lehnte sich mit aller Kraft gegen den glatten Walkörper und schob. Das Tier zitterte, als die Welle gegen es schlug.

52 „Beweg dich … beweg dich doch!", flüsterte Sam dem Wal zu.

Der Wal hob sich ein wenig mit der Welle und Sam

schaufelte, so schnell er konnte, Sand unter ihm hervor.

Dann kippte das Tier langsam in das Loch.

Die Welle rollte aus. Aber sie hatte den Wal in die Bauchlage gebracht.

Langsam watete Sam um den Wal herum. Auf der zum Meer gerichteten Seite blieb er stehen.

Da war ein neues Auge. Befreit vom dunklen Sand starrte es ihm ruhig entgegen.

Ein Fremder.

Nach einer Stunde war die Flut fast auf ihrem höchsten Stand.

Der Wal konnte nun seinen Schwanz frei im Wasser bewegen und wie in ungeduldiger Erwartung seines kühlen Elements schlug er mit den Flossen auf das Wasser. Zwei Drittel seines Körpers waren jetzt mit Wasser bedeckt und immer wenn eine Welle heranrollte, wurde das Atemloch kurz untergetaucht.

Angus streifte das Segeltuch von den Pfählen.

„Also los. Lass es uns versuchen", sagte er. „Wir müssen ihn rollen. So weit wir es irgend schaffen."

54 Er erklärte Sam, wie sie mit ausgestreckten Armen schieben könnten, sodass ihre Kraft am besten ausgenutzt war.

„Aber komm nicht an die Flossen oder an den Schwanz", warnte Angus. „Das mögen sie überhaupt nicht."

Sam dachte daran, wie er heute Morgen gegen die Schwanzflosse gestoßen war. Da war der Wal für ihn noch nichts anderes gewesen als ein Tierkadaver, den er nur wegen seiner seltenen Zähne interessant gefunden hatte.

In seinen Gedanken tauchte die funkelnde Klinge von Diggers Buschmesser wieder auf. Er suchte das Meer ab, doch nirgendwo war der Fischkutter der Brüder zu sehen.

Er sah in das Auge des Wals und streichelte ihm über die glatte Haut.

„Hai-Wal?", sagte er flüsternd. „Ich bin immer noch da."

Vorsichtig schob er den Seetang weg, der noch über dem Wal hing. Dann stellte er sich neben Angus und wartete auf die nächste Welle.

Eine grüne Woge erhob sich, kräuselte sich zu einem Kamm, zerstob zu weißer Gischt und stürzte auf sie zu.

„Halt dich bereit!", schrie Angus, als der Brecher herankam. *„Jetzt!"*

Sie stemmten ihre Hände gegen den Wal, die Köpfe gesenkt, ächzten und stöhnten.

Dann war die Welle vorüber.

Sam sah auf in die Brandung und erforschte die verschiedenen Färbungen des Wassers.

„Da kommen noch größere Wellen!", rief er. „Lass es uns noch mal versuchen!"

Sie stemmten sich mit Schultern, Armen und Knien gegen das Gewicht des Wals. Sie keuchten und drückten, als die großen Wellen jetzt hereinbrachen. Und endlich, mit dem Kamm der siebten Woge, begann der plumpe Körper des Wals zu rollen.

Das dunkle Auge verschwand im Wasser, und für einen Moment glänzte der massige blasse Bauch in der Nachmittagssonne.

„Weiter, weiter, dass er in Bewegung bleibt!", keuchte Angus.

Sams Hände glitten auf der feuchten, gummiartigen Haut aus, unter seinen Füßen rutschte der Sand.

Und dann, mit einer großen Anstrengung, war die Umdrehung vollendet.

„Geschafft! Geschafft!", rief Sam atemlos.

„Weiter, weiter!", unterbrach ihn Angus, schon bereit, die nächste Welle auszunutzen.

Sam fuhr mit der Zunge über die schweiß- und salzverklebten Lippen, holte tief Luft und schob weiter.

Nachdem sie ihn zweimal gedreht hatten, hoben sie den Kopf des Wals etwas an, damit das Atemloch

nicht mehr unter Wasser war. Sie warteten auf das rasselnde Luftholen des Tieres, dann ließen sie den Kopf vorsichtig wieder ins Wasser.

„Puh!", stöhnte Sam. „Allein sein Kopf wiegt schon eine Tonne!"

Nach vier weiteren Umdrehungen ging es leichter, den Wal zu bewegen. Sie waren jetzt im tieferen Wasser. Sam spürte die zunehmende Gewandtheit des Tieres.

Sein Wal wurde wieder er selbst. Beweglich. Leicht. Frei.

Trotzdem rührte er sich nicht vom Fleck. Er machte auch keine Anstalten zu schwimmen, als eine hohe Welle ihn vom sandigen Meerboden hochhob.

Eine weitere Welle, und der Wal war endgültig vom Boden weg.

Angus und Sam lehnten sich gegen den Kopf und drehten ihn in Richtung offene See.

Aber der Wal rührte sich immer noch nicht.

Sam sah in das dunkle Auge. „Nun komm, alter Junge", sagte er und strich ihm sanft über die schräge Stirn.

„Was ist los? Ist was nicht in Ordnung?", rief er Angus zu und war plötzlich sehr erschrocken. „Er will nicht schwimmen!"

Angus runzelte die Stirn und überlegte.

Dann fing er an, den apathischen Wal langsam auf den Wellen hin und her zu schaukeln. „Ich vermute, er hat zu lange auf der Seite gelegen. Wir müssen seine Muskeln lockern, damit er seine Körperbeherrschung und seine Orientierung wiederfindet."

Sie machten sich beide daran, den im Wasser treibenden Körper des Wals zu bearbeiten, zu drehen, zu schütteln, zu reiben.

Sam strich über die kühle, unverletzte Haut und

spürte, wie richtig es war, dass der Wal jetzt mit seinem ganzen Körper im grünen Wasser war.

Dann endlich war der Wal so weit.
Mit einem langen Schwung seiner großen Schwanzflosse glitt er langsam davon, ruhig und gelassen, vom Wasser fast ganz überspült.
Aus dem Atemloch schoss eine kleine Fontäne hervor.
„Bist du schön!", staunte Sam. „Mein Wal", sagte er schon mit dem schmerzlichen Gefühl von Abschied und Verzicht.

Sam und Angus folgten dem Wal. Zuerst wateten sie, dann schwammen sie rechts und links neben ihm her und steuerten ihn so hinaus aufs offene Meer.
An seinen nackten Beinen spürte Sam kleine Wirbel und Strudel, die der davonziehende Wal verursachte.
Sam schwamm etwas näher an ihn heran, streckte seine Hand aus, und mit den Fingerkuppen berührte er noch einmal seine seidenweiche Haut.
Der Wal hob seinen großen Kopf aus den Wellen und sah Sam mit einem ruhigen, warmen Blick aus seinem dunkel glänzenden Auge an. Die Spitze der Schwanzflosse strich leicht an Sams Arm entlang.

Dann tauchte der Wal unter und schwamm in die
Freiheit – nach Hause.

Sam suchte die leeren Wellenkämme ab. Sein Wal war
fort. Er drehte sich um und schwamm hinter Angus
her, der auf einen niedrigen Vorsprung an der felsigen
Landzunge zuhielt.

Der Mann und der Junge kletterten an Land. Tropf-
nass standen sie nebeneinander und sahen auf das
Meer hinaus.

Weit in der Ferne sahen sie den dunklen Umriss eines
Wals aus dem Wasser ragen, sahen mal eine Flosse
auftauchen und verschwinden, mal einen Schwanz, 61
mal den glänzenden Rücken und sahen den sanften
Kopf mit den großen dunklen Augen.